Berend

en het verdwenen stadszegel

Eerder verschenen:

Een valk voor Berend
Berend en de aanslag op de hertog
Berend en de toverkruiden
Gevecht met de wolf

Andere boeken van Martine Letterie zijn onder meer:
Focke en het geheim van Magnus
Focke en de belegerde stad
Aanval op het fort
Fakkels voor de prinses

Samen met Rick de Haas maakte ze het prentenboek
Ridder in één slag

Zie ook www.martineletterie.nl

www.leopold.nl

Martine Letterie

Berend

en het verdwenen stadszegel

met tekeningen van Rick de Haas

LEOPOLD / AMSTERDAM

NEDERLANDSE
KINDERJURY
2007

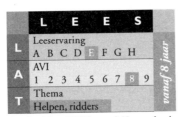

L	E E S	
L	Leeservaring A B C D E F G H	*vanaf 8 jaar*
A	AVI 1 2 3 4 5 6 7 8 9	
T	Thema Helpen, ridders	

Toegekend door KPC Groep te 's-Hertogenbosch.

Inhoud

Geheimzinnige brieven   9

Aankomst in Zutphen   15

Het testament van oom Jacob   21

Het probleem van Willem   27

Storm in de stad   31

De Hackforthuisjes   37

De brug over de IJssel   41

De Bovenberg   46

Nog een vergadering van de schepenraad   53

Het geld van oom Jacob   59

Over dit boek   67

ZUTPHEN

IJSSEL

1 - Spitaalbuitenpoort
2 - Spitaalstraat
3 - Binnenste Spitaalpoort
4 - Pelikaanstraat
5 - Proosdijsteeg
6 - Huis Proosdij
7 - Walburgskerk
8 - Rodetorenstraat
9 - Predikherenklooster
10 - Grote Hofstraat
11 - Schepenzaal
12 - Bornhovestraat
13 - Binnenste Laarpoort
14 - Marspoort
15 - Oude Wand
16 - Bovenberg (Berkelpoort)
17 - 'sGravenhof
18 - Markt

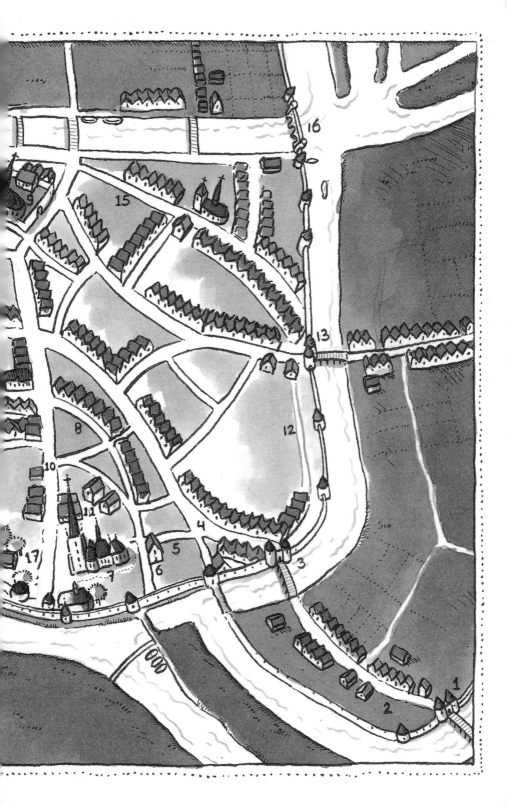

Geheimzinnige brieven

Er is iets aan de hand. Berend woont al anderhalf jaar op huis Bergh en hij kent iedereen door en door. Van de stalknecht tot graaf Oswald, hij weet waar ze van houden en hoe ze zich gedragen. Daarom merkt hij het: er is iets, maar hij weet niet wat.

Het heeft vast te maken met geheimzinnige brieven die graaf Oswald heeft ontvangen, denkt Berend. Die brieven kwamen van ver, uit Frankrijk. Er was er zelfs één bij van de koning van dat land. Berends hart zwelt weer van trots als hij daaraan denkt. Zíjn heer is zo belangrijk dat hij een brief krijgt van de koning van Frankrijk!

Maar intussen weet hij nog steeds niet waar die brieven over gaan. Steeds als hij de grote zaal binnenkomt, stokken de gesprekken. Wel krijgt Berend opdrachten die er iets mee te maken moeten hebben. Hij loopt al dagen heen en weer tussen de duiventil en de grote zaal. Zijn heer schrijft zelf ook brieven; de meeste gaan per koerier maar sommige korte berichten per duif.

Net heeft Berend weer een bericht naar het duivenhuis gebracht en nu loopt hij over de voorburcht terug naar de grote zaal. Het waait hard en de zon schijnt. Het is al bijna Sint Maarten, maar de lucht blijft zacht. Alleen aan de rondwaaiende bladeren kun je zien dat het herfst is. En aan de kleur van de bomen natuurlijk.

Bruin springt vrolijk achter een groot blad aan, dat de wind steeds voor hem wegblaast. Berend lacht. 'Jij trekt je nergens iets van aan, gekke hond.'

Weer wordt het stil als Berend de grote zaal binnenkomt. Gravin Elizabeth zit in haar vensterbank en graaf Oswald staat naast haar. Zijn hand ligt op haar schouder. Allebei kijken ze naar Berend en graaf Oswald knikt alsof hij zojuist een beslissing genomen heeft.

'We gaan op reis, jongen. Jij en ik.'

Berends hart springt op. Het is lang geleden dat ze gereisd hebben, omdat Gelre nog steeds onveilig is.

'Ik moet naar Zutphen. Waarom kan ik je niet uitleggen, maar het heeft te maken met politiek. Dat bericht dat je net naar het duivenhuis bracht, was voor je vader. Ik wil bij je ouders logeren en omdat je ze al zo lang niet gezien hebt, mag je mee.'

Bijna vliegt Berend Oswald om de nek, maar dan bedenkt hij zich dat dat niet erg ridderachtig is. Hij is tenslotte al negen, en page van graaf Oswald. Over drie jaar wordt hij hopelijk schildknaap.

'Dank u wel, graaf Oswald,' zegt hij dan plechtig en hij buigt zijn hoofd.

'Er is nog een reden waarom je meegaat naar Zutphen.' Oswalds stem klinkt ongewoon zacht. Verbaasd kijkt Berend op.

'Je oudoom Jacob is overleden en je bent nodig bij de uitvoering van zijn testament.'

Oom Jacob... Berend ziet hem direct voor zich. De lieve grijze ogen, die zo wijs konden kijken. De grijze korte baard, en zijn kalende hoofd. Een oude ridder, voor wie iedereen bewondering had.

Hij was de broer van Berends grootvader. Die is al een paar jaar dood, en voor Berend was oom Jacob zijn opa. Hij woonde op kasteel Hackfort en hij had altijd tijd voor de jongste kleinzoon van zijn broer. Hij vertelde hem verhalen over de eer van ridders, die de armen moeten beschermen en eerlijk en rechtvaardig moeten zijn.

De tranen springen Berend in de ogen. Daarnet was hij nog blij dat hij naar huis mocht, maar nu is hij alleen nog maar verdrietig. Hij weet niet wat hij tegen Oswald moet zeggen en hij kijkt hem alleen maar aan.

'Ik begrijp dat dit bericht je verdriet doet, Berend. Troost je met de gedachte, dat je oom een lang en mooi leven heeft gehad.'

Berend slikt en knikt. Als Oswald zich weer naar Elizabeth draait, loopt hij de zaal uit. Buiten rent hij naar de stal om troost te zoeken bij Sterre, zijn paard.

De dag erna worden er nog steeds geheimzinnige gesprekken gevoerd en Berend moet nog veel meer berichten versturen zonder te weten waar ze over gaan. Zijn nieuwsgierigheid laat hem zijn verdriet een beetje vergeten.

'Weet jij waar je vader mee bezig is?' vraagt hij de volgende avond aan Walburga, de dochter van graaf Oswald. Hij heeft net een schaal met brood uit de keuken gehaald. Er wordt zo gegeten en Berend moet helpen tafel dekken. De grote zaal is even leeg en hij grijpt zijn kans om Walburga te vragen wat zij ervan denkt.

'Wat gaat je vader doen in Zutphen?'

Zij zucht en haalt haar schouders op. 'Ik doe mijn best

om erachter te komen, maar ik snap er niks van. Het heeft iets te maken met Karel van Egmond, de zoon van de vorige hertog. Mijn vader heeft een brief van zijn zus gekregen, wist je dat?'

Dan gaat de zaaldeur weer open en Oswald en Elizabeth komen binnen.

'Berend, er staan nog geen bekers voor de wijn!'

Oswald neemt zijn plaats in aan het hoofd van de tafel en Elizabeth gaat naast hem zitten. Ze wenkt Walburga. 'Kom jij vanavond naast me zitten?'

Als Berend terugkomt uit de kelder met de bekers, komen één voor één de verschillende gasten binnen. Een koerier die net een brief heeft gebracht, een jonge ridder op doorreis, en een bevriende landheer. De schildknapen zitten aan een aparte tafel omdat de hoofdtafel nu te vol is.

Snel zet Berend de bekers neer en wijst dan de andere pages waar de keuken is, zodat ze ook kunnen helpen met bedienen. Hij is nog maar nauwelijks klaar of Oswald klapt in zijn handen. 'De wijn, Berend! Mijn gasten hebben dorst.'

Zo rent hij de hele avond heen en weer. Tijd om aan oom Jacob te denken heeft hij niet, en al helemaal niet aan het geheim waarmee Oswald bezig is.

Aan het einde van de maaltijd staan de gasten op van tafel. Ze verspreiden zich al pratend door de grote zaal. Dan wendt Oswald zich naar Walburga. Berend heeft net haar beker afgeruimd, dus hij staat naast haar.

'Je moeder en ik hebben besloten dat je mee mag naar Zutphen,' zegt Oswald. 'Het lijkt ons goed voor je opvoeding als je deze grote stad een keer bezoekt. Het is tenslotte een stad met handelscontacten tot ver in het buitenland, en een plaats waar bijna de hele adel van Gelre een huis heeft. Het zou jammer zijn als je daar de komende jaren niet komt.' Dan kijkt hij naar Berend. 'We hopen dat Berend je wil rondleiden, want hij kent de stad natuurlijk op zijn duimpje.'

Walburga kan het niets schelen dat ze al negen is. Ze vliegt haar vader om de hals en ze kust hem waar ze hem maar raken kan.

'Ik wilde altijd al zo graag naar Zutphen!'

Oswald lacht en trekt zijn dochter op schoot. Berend wil weglopen, maar de graaf trekt hem aan zijn mouw.

'Even wachten, Berend. Jullie moeten allebei weten, dat dit een reis wordt waar we niet met iedereen over praten. Voor de veiligheid nemen we natuurlijk soldaten mee, maar we reizen niet met groot gevolg. Het is belangrijk dat jullie je mond houden. Zelfs onze gasten weten niet dat we gaan. Hoe meer je erover zwijgt, hoe beter.' Hij knipoogt naar Walburga.

Haar wangen kleuren donkerrood. 'Heb ik te hard geroepen?'

Oswald lacht weer. 'Ik geloof niet dat iemand op je lette, maar pas de volgende keer een beetje op.'

Aankomst in Zutphen

'Daar!' Berend gaat in zijn stijgbeugels staan en wijst Walburga de torens in de verte. 'Dat is Zutphen!'

Na twee dagen reizen ziet hij eindelijk de stad terug, die hij zo goed kent. Zijn ouders hebben er immers een stadshuis, net als zoveel ridders uit Gelre. Zolang hij zich kan herinneren heeft hij daar de winter doorgebracht. Tot vorig jaar; toen was hij op huis Bergh. Dat was de eerste keer dat hij ergens anders was.

Het is koud en er waait een stevige wind. Oswald kijkt bezorgd naar de lucht.

'Het weer slaat sneller om dan ik had gehoopt. Kom, we galopperen nog een stuk.' Hij geeft zijn hengst de sporen en de pony's van Berend en Walburga springen gelijk na hem in galop. Bruin rent met de tong uit zijn bek. Hij zal wel moe zijn na een dag lopen.

De soldaten volgen hen op de voet. Berend begint eraan te wennen, dat ze steeds om hen heen rijden. Gelre is blijkbaar nog steeds niet veilig, net als toen hij naar huis Bergh kwam.

'Wat veel torens!' Hard roept Walburga tegen de wind in. Haar wangen zijn rood van de kou, maar ze straalt. 'Zijn de mensen in Zutphen zo vroom, dat ze zoveel kerken hebben gebouwd?'

Berend schudt zijn hoofd. 'Nee! Veel torens zijn van de stadshuizen van de ridders van Gelre. Ze lijken op kastelen. Maar die hoge blauwe, die is van de kerk van Onze Lieve Vrouwe en Sint Walburga.* Die is nieuw.'

'Mooi, en wat hoog!'

Als ze de Spittaalbuitenpoort naderen, houdt Oswald zijn paard in. Rustig stappen ze over de brug. Onder de stoere vierkante poort staan een paar wachters. Bruin snuffelt nieuwsgierig aan hun benen. Zou hij hen herkennen?

'Heer, wat brengt u hier?' vragen ze beleefd aan Oswald.

'Ik bezoek de vader van mijn page, de heer van Vorden.'

Nieuwsgierig nemen de wachters Berend op. Ze hebben hem natuurlijk al een tijd niet gezien.

'U weet dat de familie tegenwoordig huist in de Proosdij, het huis van de overleden ridder Jacob van Hackfort?'

'Dat wisten we nog niet. Mijn page weet de weg erheen vast wel.' Oswald kijkt vragend naar Berend. Die glimt van trots. Natuurlijk weet hij dat!

Oswald laat hem voorgaan en Walburga komt weer naast hem rijden. Stapvoets gaan ze door de Spittaalstraat, die zo'n beetje de voorstad is van het eigenlijke Zutphen. Hier zijn de huizen laag en lijken op de woningen van 's Heerenberg. Ze hebben geen verdiepingen en de meeste hebben muren van leem.

Walburga kijkt om zich heen. 'Net als bij ons,' stelt ze vast.

Dan komen ze bij de Binnenste Spittaalpoort. Weer moeten ze eerst het water over en dan kunnen ze de stad in.

---

* Dat is nu de Walburgskerk.

'Oóóh!' Walburga houdt haar pony Swaen in en kijkt om zich heen.

Door haar ziet Berend hoe bijzonder de stad eigenlijk is. Hier zijn alle huizen van steen. Ze hebben meerdere verdiepingen en veel huizen hebben torens. De Pelikaanstraat is bestraat met kiezels. Geen andere stad in de wijde omgeving ziet er zo uit.

'Kom, we gaan hierin.' Berend wendt Sterre de Proosdijsteeg in. Ineens kan hij niet langer wachten. Wat wil hij graag zijn ouders zien! Hun nieuwe huis ligt vlak achter de Walburgskerk; Berend is er vaak geweest toen oom Jacob nog leefde.

Voor de deur springt hij van Sterre en hij klopt aan de deur. De knecht die opendoet, krijgt de teugels van het paard in handen. Blaffend schiet Bruin naar binnen, rakelings langs de benen van de knecht.

Berend rent meteen door naar de grote zaal.

'Vader, moeder!'

Zijn moeder loopt hem lachend tegemoet, met gespreide armen. En Berend vliegt erin. Het kan hem even niets meer schelen dat hij daar eigenlijk te groot voor is.

'Waar heb je onze gasten gelaten?'

Berend voelt zijn wangen warm worden. 'Die staan nog buiten voor de deur.'

Zijn moeder schiet in de lach.

'Laten we ze snel ophalen,' zegt ze. 'Jullie zullen wel koud zijn van die lange reis.'

Met zijn moeders arm om zijn schouder loopt hij terug naar de poort. Gelukkig heeft de knecht die opendeed wel aan de gasten gedacht. Hun paarden worden naar de stal gevoerd en Walburga staat al binnen.

Oswald staat buiten met de soldaten te overleggen. Als hij Berend ziet, wenkt hij hem. 'Heb je misschien even tijd om de mannen naar de herberg De Rode Toren te brengen?' Plagerig kijkt hij zijn page aan.

'Natuurlijk, graaf. Het spijt me dat ik zo hard naar binnen holde.' Maar Berend ziet aan het gezicht van zijn heer dat die hem best begrijpt.

'Mag ik mee?' vraagt Walburga. Ze staat in de geopende poort te luisteren. Zo te zien wil ze niets missen.

'Moet je niet uitrusten van de reis?' Moeder kijkt haar bezorgd aan.

'Dat kan straks ook nog!' Walburga staat al naast Berend en Oswald knikt toegeeflijk. 'Je kwam hier tenslotte om de stad te zien. Als jullie klaar zijn, moet je wel meteen terugkomen.'

Berend kijkt waar zijn hond is, maar die is nergens te zien. Hij heeft waarschijnlijk een plekje bij het warme vuur gevonden.

Dan wenkt hij de soldaten. 'Deze kant uit,' wijst hij. 'Het is niet ver.'

Samen met Walburga loopt hij vanaf het nieuwe huis van zijn ouders zo de Rodetorenstraat in. De soldaten volgen hen, hun paarden aan de hand meevoerend.

Dan klinkt een jongensstem over straat.

'Berend!'

Verrast kijkt Berend om en hij ziet zijn oude vriend Willem staan.

'Ik ben blij dat ik je zie! Je moet me helpen. Ik...'

Walburga legt haar hand op Berends arm. 'Misschien

moeten we eerst de mannen van vader helpen.'

'Je hebt gelijk. We zien elkaar later nog wel, Willem.' Berend haalt verontschuldigend zijn schouders op en zegt tegen de soldaten: 'Hier kunnen we achterom naar de stallen.'

'Wie was die jongen?' vraagt Walburga als ze teruglopen naar de Proosdij.

'Willem Lerinck. Zijn grootvader is *schepen* van de stad. Hij zit het langst in de schepenraad van iedereen. Hij is dus een hele belangrijke bestuurder. Willem woont vlak bij ons oude huis. We hebben vaak samen gespeeld.'

'Ik ben benieuwd wat voor probleem hij had,' zegt Walburga.

'Ik ook,' antwoordt Berend. 'Maar volgens mij horen we dat nog wel.'

Het testament van oom Jacob

De volgende morgen wordt Berend wakker omdat zijn zusje Elizabeth over hem heen kruipt. Toen hij uit huis ging om page te worden bij graaf Oswald, was ze nog een baby. Maar nu is ze een mollige peuter die haar eigen gang gaat.

'Beer,' zegt ze tevreden, terwijl ze een plekje op zijn buik zoekt. Berend probeert overeind te komen en kijkt om zich heen.

Gerritje is het vuur aan het opporren en een knecht opent de luiken van de grote zaal. Vader ligt nog lekker te snurken, maar moeder is nergens meer te bekennen. Zijn zusje Mechteld is sinds kort in huis bij Wijnand van Arnhem om daar voor hofdame te leren, heeft Berend gisteren van zijn moeder gehoord. Hij was wel teleurgesteld, omdat hij zich er erg op verheugd had haar te zien.

Oswald staat in een hoek van de zaal zijn kleding in orde te brengen.

Berend tilt Elizabeth van zijn buik en staat op.

'Waar gaan we vandaag heen, heer?'

Oswald glimlacht. 'Onze wegen scheiden zich deze dag, Berend. Ik ga straks met je vader naar een schepenraadsvergadering. Daar heb ik je niet bij nodig.'

Berend wil vragen wat Oswald daar gaat doen, maar hij bedenkt zich op tijd. Hij heeft geleerd dat Oswald hem alleen dat vertelt, wat hij kwijt wil. Vragen heeft geen zin.

Moeder komt de zaal binnen en Elizabeth loopt haar met opgeheven armen kraaiend tegemoet.

'Goedemorgen, Oswald, Berend. Hebben jullie de plannen voor de dag al doorgenomen?'

'Nou...' Berend aarzelt. 'Ik weet nog niet wat ik ga doen.'

'Ik wel,' zegt moeder. 'Je moet naar de kerk van de Predikheren* om het graf van je oom Jacob te bezoeken. Dan kun je daar meteen de *prior* spreken. Die voert het testament van je oom uit en heeft jou daarbij nodig.'

'Naar de kerk van de Predikheren? Waarom ligt oom Jacob niet in het familiegraf in de kerk van Onze Lieve Vrouwe en Sint Walburga?'

'Dat is een heel verhaal.'

Moeder tilt Elizabeth op en neemt haar op de arm.

'Op de dag van zijn begrafenis was de stoet van de monniken uit de kerk van de Predikheren een uur eerder dan de stoet uit de kerk van Onze Lieve Vrouwe en Sint Walburga,' vertelt ze. 'Ze hebben oom Jacob gewoon meegenomen en hem in hun kerk begraven. Het was zijn wens, zeiden ze. En omdat ze ook zijn testament hadden, geloofden we hen. De priesters van de Onze Lieve Vrouwekerk waren woedend. Maar om het graf te bezoeken moet je dus naar de kerk van de Predikheren.'

'Wat is een prior?' Berend probeert alles te begrijpen wat zijn moeder hem vertelt.

'Dat is de baas van het klooster.'

'En wat ga ik doen?' Dat is Walburga, die is inmiddels ook wakker geworden.

---

* Dat is nu de Broederenkerk, waar de bibliotheek in is.

'Jij gaat met Berend mee, dan kun je het klooster en de bijbehorende kerk van de Predikheren bezoeken,' zegt Oswald beslist.

Berend en Walburga kijken elkaar aan. Op deze manier krijgen ze niet veel kans om te ontdekken wat Oswald hier in Zutphen komt doen.

De klokken beginnen van alle kanten te luiden, als Berend de grote deur achter zich dicht trekt. Walburga kijkt hem vragend aan.

'Het zullen de klokken voor de koordienst van de monniken in het klooster zijn. Die begint zo.'

Haastig loopt het tweetal achter de Onze Lieve Vrouwekerk langs naar de Grote Hofstraat.

Op straat is het leven al in volle gang. Een brouwersknecht rolt een grote ton over de straat. Kippen fladderen verontwaardigd voor het gevaarte op.

De klompen van een meid klinken hard op de kiezels. Haar rokken zwaaien om haar benen. Aan haar arm draagt ze een mand. Het is maar goed dat Bruin niet mee is, anders zou hij naar de rokken van de meid happen. Moeder vond dat de hond niet mee mocht naar de kerk en het klooster.

Berend wijst Walburga de weg naar de ingang van de kerk van de Predikheren. Nog net op tijd glippen ze naar binnen. Een knecht duwt hen naar voren, zodat ze tussen een paar adellijke dames terechtkomen. Dan sluit de zware deur en de broeders beginnen te zingen.

Het gezang klinkt zo mooi, dat Berend even vergeet waar hij is en waarom. Maar Walburga trekt aan zijn mouw. Ze wijst naar de schilderingen op het plafond.

'Het wapen van Gelre,' fluistert ze. 'En dat, waar is dat het wapen van?'

'Zutphen,' antwoordt Berend zachtjes.

De dame naast hem kijkt streng omlaag. Ze legt haar vinger op haar mond. Berend knikt gehoorzaam en kijkt weer voor zich uit.

De mis duurt lang en het kost Berend moeite om de hele tijd stil te staan. Hij telt alle heiligen op het plafond en hij probeert te bedenken hoe ze allemaal heten. Dat is een van de apostelen, dat weet hij zeker. Jacobus kun je herkennen door de schelp op zijn muts.

Als de mis eindelijk afgelopen is, wachten Berend en Walburga tot ze de priester te spreken kunnen krijgen. Als de kerk bijna weer leeg is, lukt het.

'Ik kom het graf van mijn oom Jacob bezoeken,' zegt Berend.

'Jacob van Hackfort?'

Berend knikt.

De priester neemt hem mee naar een steen in de vloer.

'Hier ligt je oom,' zegt hij.

Berend staat even stil bij het graf. Hij mist zijn oom, maar die steen lijkt zo weinig met hem te maken te hebben. Hij kijkt de priester aan.

'Ik zou graag de prior spreken.'

'Jij bent zeker de neef die in het testament genoemd wordt. De prior vind je in de bibliotheek. Weet je waar die is?'

Berend knikt en trekt Walburga mee naar buiten. Hij krijgt het een beetje benauwd in de kerk.

Walburga heeft daar helemaal geen last van.

'Er loopt een muur om het klooster!' zegt ze verbaasd. 'En dat midden in de stad!'

'Door deze poort gaan we erin.' Berend loopt met grote stappen vooruit. Hoe sneller dit voorbij is, hoe beter. Ze komen in een besloten tuin.

'Daar is de school en de bibliotheek,' weet Berend. 'Ik ben hier al vaker geweest.'

Een monnik in een witte pij en met een zwarte schoudermantel loopt hen tegemoet.

'Jongelui, zoeken jullie iemand?'

'De prior, heer.' Walburga zakt beleefd door haar knieën, terwijl ze haar jurk omhoog houdt.

Verbaasd kijkt de broeder hen aan.

'Ik ben de neef van ridder Jacob van Hackfort,' legt Berend uit.

De blik van de broeder verandert meteen. 'Ik ben de prior. Volg mij naar mijn kamer.' Hij brengt de kinderen naar een sobere kamer in één van de vele kloostergebouwen.

Daar gaat hij achter een tafel zitten en wijst hun een stoel.

Berend gaat onwennig zitten. De prior behandelt hen als grote mensen. Onzeker kijkt hij naar Walburga, maar die voelt zich zo te zien erg op haar gemak.

Op de hoek van de tafel ligt een rol perkament. De prior pakt die erbij en rolt hem zorgvuldig open.

'Dit is het testament van je oudoom Jacob,' zegt hij tegen Berend. 'Hij heeft hierin een grote som geld gereserveerd voor de veiligheid en de vrede van de stad Zutphen.

Ik zal je alleen het deel voorlezen dat betrekking heeft op jou.'

De prior is even stil. Dan leest hij: 'Mijn neef Berend van Vorden zal na zorgvuldige overwegingen bepalen hoe dit bedrag besteed moet worden. Een kind kan de zuiverste keuze maken. Het heeft immers nog geen politieke belangen. Bovendien ken ik deze jongen als verstandig.'

Hij kijkt Berend ernstig aan.

'Op jouw schouders rust nu een zware taak, Berend. Je mag dit niet met je ouders bespreken, anders zullen zij de aandrang voelen om je te adviseren. Het gaat om jouw keuze, niet die van hen. Neem je tijd om tot een goede beslissing te komen en laat het me dan weten.'

Het probleem van Willem

Zelfs Walburga is er stil van. Zonder te praten lopen Be- rend en Walburga naast elkaar terug in de richting van de Proosdij achter de Onze Lieve Vrouwekerk. Op de hoek van de Korenmarkt komen ze Willem tegen. Hij draagt een jak van donker laken dat mooi bij zijn blauwe ogen staat. Op zijn kort gesneden haar draagt hij een kleurige muts. Het is overduidelijk dat hij uit een rijke familie komt.

'Ha Berend! Fijn dat ik je weer zie.' Nieuwsgierig kijkt hij naar Walburga. 'De vorige keer was jij er ook al bij.'

'Dit is Walburga, jongste dochter van graaf Oswald van den Bergh. En dit is Willem Lerinck, kleinzoon van de oudste schepen van de stad.' Walburga maakt een keurige damesbuiging en lijkt reuze geïnteresseerd in Willem.

'Jij weet vast waar de schepenraad vandaag vergadert. Ik zou zo graag eens zo'n vergadering zien.'

Berend begrijpt meteen waar ze op uit is, ook al kijkt ze heel onschuldig. Als ze de vergadering mogen bijwonen, kunnen ze misschien ontdekken waarom Oswald in Zutphen is.

'Ja, ik moet Walburga Zutphen laten zien,' zegt hij. 'En daar hoort een bezoek aan de schepenraad natuurlijk bij.'

Willem lacht trots. Dit is voor hem een makkie.

'Het is hier vlakbij, loop maar mee. Ik laat jullie wel

binnen. Ik weet een plekje waar je alles kunt zien en horen, zonder dat je gezien wordt. Want je begrijpt dat zo'n vergadering eigenlijk niet voor kinderen is.'

De zaal is in de Grote Hofstraat. Ze zijn er nota bene net langs gelopen! Willem duwt de deur open. Hij legt zijn vinger op zijn mond en sluipt naar een houten trap. In de verte klinkt geroezemoes.

De trap brengt hen naar een zolder recht boven de schepenzaal. Het is er koud en de leien op het dak klepperen in de wind. Berends adem vormt witte wolkjes bij zijn mond. Het vriest.

Op hun tenen lopen ze naar de plek die Willem hen aanwijst. Daar zit een spleet tussen de vloerplanken. Berend gaat op zijn buik liggen en zo kan hij precies de zaal inkijken. Hij hoort nog wel gepraat, maar de zaal lijkt leeg. Voorzichtig verschuift hij iets, zodat hij de deur kan zien. Daar staan twee mannen met elkaar te praten. Oswald is er één van.

'Ik ben blij dat de raad naar mijn verzoek heeft willen luisteren,' zegt hij en dan verdwijnt hij uit Berends beeld.

Berend zucht en kijkt naar Walburga. 'We zijn te laat. Je vader loopt net de zaal uit. De vergadering is afgelopen.' Dan gaat hij zo geluidloos mogelijk weer op zijn voeten staan.

'Ik kan jullie waarschuwen voor de volgende vergadering.' Willem praat nog steeds zacht.

Teleurgesteld gaat Berend achter Walburga de trap af. Hij weet niet of Oswald nog wel in Zutphen blijft tot de volgende vergadering. Misschien moeten ze al snel weer terug naar huis Bergh. De winter lijkt nu immers echt te beginnen.

'Wil je de raadzaal nog even zien?' Willem duwt behulpzaam de deur naar de zaal open.

Die is nu inderdaad verlaten. In het midden staat een grote tafel waar de schepenen aan vergaderen. Langs de kant staan houten banken en de schepenkist, waarin alle belangrijke documenten bewaard worden.

Op een kleine tafel bij een van de ramen staat een houten kistje. Het is afgesloten met een flink slot.

'Kijk,' zegt Willem. Met zijn mes wipt hij zonder problemen het slot los. Dan klapt hij het deksel van het kistje open. Het is leeg.

'Ik probeerde je van de week al te vertellen dat ik een probleem heb.' Willems gezicht staat zorgelijk. 'In dit kistje hoort het zegel van de stad. Ik neem het wel eens mee om het aan vrienden te laten zien.'

Zijn stem wordt ineens veel zachter. 'Dat mag natuurlijk niet, maar ik vind het wel leuk om ermee op te scheppen. Het lijkt dan of ik net zo machtig ben als mijn grootvader. Maar de laatste keer dat ik in het kistje keek, was het ineens weg. Ik ben bang dat ik het bij iemand heb laten liggen. Ik moet het zo snel mogelijk terugvinden, voordat iemand erachter komt. Wil je me alsjeblieft helpen zoeken, Berend?'

Willem kijkt wanhopig.

Walburga zegt hardop wat Berend denkt: 'Wat een problemen allemaal. Het is te hopen dat we lang genoeg in Zutphen blijven om ze op te lossen. Ik wil wel helpen, Berend. En jij?'

'Tuurlijk.' Berend klopt zijn vriend Willem op zijn schouder. 'Ik kan me voorstellen dat je je zorgen maakt. Laten we samen bedenken waar je geweest bent in de afgelopen tijd en aan wie je het zegel hebt laten zien.'

'Goed,' zegt Willem, maar hij kijkt niet echt opgelucht. 'Alleen heb ik dat zelf natuurlijk ook al honderd keer gedaan in de afgelopen dagen.'

Met zijn drieën zoeken ze een plekje op een van de banken langs de muur. Willem begint met het opsommen van de plaatsen waar hij de laatste tijd geweest is. Hij vertelt gehoorzaam aan welke mensen hij allemaal het zegel heeft laten zien.

Die Willem is inderdaad een opschepper, denkt Berend, maar hij zegt niets. Aan Walburga's gezicht te zien denkt zij er net zo over.

Storm in de stad

's Middags is de wind opgestoken en 's avonds is die ver-
anderd in een hevige storm. De balken in het dak van de
Proosdij piepen en kraken. De luiken rammelen in hun
sponningen en het vuur in de haard brandt hoog.

Moeder heeft de houten bank dicht bij het vuur ge-
schoven. Zelf zit ze in het midden, recht voor het vuur.
Elizabeth slaapt met haar hoofd op moeders schoot. Berend en Walburga hebben een plekje naast elkaar in een
hoek van de bank. Oswald staat met vader naast het vuur.
Ze praten zacht met elkaar.

Berend probeert te horen waar ze het over hebben, en
af en toe vangt hij flarden van hun gesprek op.

'Omdat we rust in het land wilden, hebben we Maximiliaan als hertog geaccepteerd. En waar heeft het ons gebracht?' Oswald slaat met zijn hand tegen de muur om
zijn verhaal kracht bij te zetten.

Vader mompelt iets onverstaanbaars, maar het klinkt
mopperig. '...kunnen niet reizen...' hoort Berend in zijn
antwoord. En dan verstaat hij ineens: 'Johan van Wisch
en zijn zoons maken de omgeving erg onveilig. De Over-
stichtse steden* willen met Zutphen een verbond tegen
hem sluiten.'

Walburga en Berend kijken elkaar aan. Johan is de half-

* Deventer, Kampen en Zwolle.

broer van het Onkruyt van Wisch, waar Oswald zo'n ruzie mee had vorig jaar. Het zit in de familie, dat roofridderschap.

'Kinderen, gaan jullie de bedden maar vast in orde maken,' zegt moeder ineens. Ze staat voorzichtig op en legt Elizabeths hoofdje terug op de bank. Zou ze gemerkt hebben dat Walburga en Berend met gespitste oren zitten te luisteren?

Met tegenzin staat Berend op. In een hoek van de zaal staan de houten onderdelen die op de vloer gelegd moeten worden. Eén voor één schuift hij de zware delen naar het vuur. Daarna verdeelt hij de strozakken erover. En hoe hij ook zijn best doet, de rest van het gesprek hoort hij niet meer.

De volgende morgen staat Willem al vroeg aan de deur.

'Mogen Berend en Walburga met me door Zutphen wandelen?' vraagt hij met een diepe buiging aan Oswald.

Die stapt naar buiten, kijkt naar de lucht en schudt zorgelijk zijn hoofd.

'Voorlopig kunnen we nog niet terugreizen, dus wandel maar lekker,' zegt hij.

Berend slaat een warme mantel om en Walburga heeft een cape die met bont is afgezet. Koud zullen ze het zo niet krijgen.

'Heb je wel tijd om te wandelen?' vraagt moeder bezorgd. 'Moet je niet iets doen voor dat testament van oom Jacob?'

Berend kijkt zijn moeder aan. Even is hij in de verleiding om haar te vertellen wat de opdracht is. Maar dan

denkt hij weer aan de woorden van de prior. Hij mag het niet met zijn ouders bespreken.

'Dat komt wel goed, moeder,' zegt hij en hij probeert zo volwassen mogelijk te kijken. Aarzelend doet ze de deur achter hem dicht.

'We gaan naar de stadsschutters,' stelt Berend dan aan Walburga en Willem voor. 'Je vertelde gisteren dat je daar ook geweest bent met het zegel.'

Willem kijkt verbaasd. 'Dat is waar, maar waarom die plek als eerste?'

'Omdat Walburga graag wil zien waar de schutters oefenen,' zegt Berend beslist.

Die knikt meteen heel serieus. Ze begrijpt dat Berend wil kijken of de stadsschutters misschien de erfenis van oom Jacob moeten hebben. Zij verdedigen immers de stad in tijden van oorlog.

Door de Hospitaalpoortstraat* en de Bornhovestraat lopen ze naar de Binnenste Laarpoort. Het waait nog steeds stevig en Berend trekt zijn mantel flink om zich heen. Het is koud. Met grote stappen gaat hij over de kiezels, en Walburga en Willem draven achter hem aan. Bruin danst en springt om hen heen. Zou hij denken dat ze gaan spelen?

Buiten de Laarpoort is de baan waar de stadsschutters oefenen, tussen de dubbele stadsgrachten. Het is er niet heel druk. Een man veegt de bladeren van de baan en er lopen drie schutters met elkaar te overleggen.

Willem loopt de baan langs en tuurt zorgvuldig naar de grond.

* Dat is nu de Pelikaanstraat.

'Hij heeft het zegel toch niet op de grond laten vallen,' fluistert Walburga tegen Berend.

Die haalt zijn schouders op. 'Kom, we lopen naar die drie mannen.'

De schutters onderbreken hun gesprek als Berend en Walburga eraan komen.

'Moeten jullie niet oefenen?' vraagt Walburga.

De langste van de drie glimlacht en geeft antwoord.

''s Winters is het altijd rustiger. Oorlogen worden alleen in het voorjaar en in de zomer gevoerd. Vandaar dat de mannen hun wapenrusting dan thuis opslaan en wat minder vaak op de baan te vinden zijn.'

Walburga vertrouwt het niet helemaal. 'Wat gebeurt er als de stad toch aangevallen wordt?'

'Dan zijn de stadsschutters in een mum van tijd opgeroepen en we hebben natuurlijk ook nog wijkschutters. Elke wijk heeft zijn eigen schutters. Die kun je herkennen aan de wijkkleuren. Ze dragen kappen in rood of wit of groen.' De man wijst naar zijn hoofd om aan te geven wat hij met die kappen bedoelt. Mutsen dus.

'Wij hebben dit zilveren wapen op onze mouw en gouden stiksels langs onze schouderstukken.' Een van de andere schutters wijst trots naar zijn mouw.

Walburga bekijkt de wapens bewonderend.

'Stel je voor, dat jullie een grote som geld zouden krijgen. Wat zouden jullie daarmee doen?'

De schutters kijken elkaar even aan. Dan schiet de langste in de lach. 'Daar hadden we het net over. We willen graag een zilveren schuttersketen. De schutterskoning krijgt bij feesten zo'n keten om. Andere schutterijen hebben dat wel.'

'Wil je dan niet een kanon?' Walburga kijkt oorlogs-zuchtig.

'Die moet de stad maar kopen, dat gaan wij niet doen.' De kleinste van de drie kijkt trots.

'Gelijk heb je,' zegt Walburga en ze knipoogt naar Be-rend.

'We zullen jullie niet langer storen.' Berend wenkt Willem. Hij weet genoeg. Het geld van oom Jacob gaat in ieder geval niet naar de stadsschutters!

De Hackforthuisjes

De meiden hebben voor het middageten een heerlijke reebout aan het spit geroosterd. Er zijn appeltaarten en er is pruimenmoes. De heer van Vorden heeft een vat goede wijn geopend voor zijn gast. In de haard knettert het vuur en buiten loeit de wind.

Berend en de page van zijn vader bedienen aan tafel. Ze zorgen dat de heren niets tekortkomen. Voor zij hun wensen hebben uitgesproken, zijn ze al vervuld.

De heer van Vorden knikt goedkeurend naar zijn zoon. 'Je hebt heel wat geleerd in de afgelopen tijd, Berend.'

'Hij is een goede page. De ridder waarbij hij later schildknaap zal worden, mag blij zijn.' Oswald klopt Berend in het voorbijgaan op de schouder.

Die probeert zijn verlegenheid te verbergen. 'Heeft u voor vanmiddag nog een opdracht voor mij?'

'Misschien kun je Walburga nog iets meer van de stad laten zien.' Oswald zakt wat onderuit en neemt een slok van zijn wijn. 'Ik blijf nog even van het vuur genieten.'

'Misschien willen jullie wat voor mij doen straks,' bedenkt moeder. 'Oom Jacob bracht altijd tien pond boter met Sint Maarten naar Hackforts Armenhuyskens. Dat is nog steeds niet gebeurd. Het zou fijn zijn als jullie dat deden.'

'Goed.' Berend snijdt wat stukken brood en deelt die rond.

'Wat zijn Hackforts Armenhuyskens?' vraagt Walburga en ze schuift wat naar voren op de bank.

'Oom Jacob heeft tien jaar geleden acht huizen laten bouwen waar ongetrouwde boeren of weduwnaars van zijn landgoed hun oude dag kunnen doorbrengen. In één huis wonen twee vrouwen die voor de mannen zorgen. Toch?' Berend kijkt vragend naar zijn moeder.

'Ja, oom Jacob gaf elk jaar geld en hout om de kachel te stoken. En dus ook tien pond boter met Sint Maarten. Wij nemen dat nu over.' Moeder staat op en overziet de tafel. 'Oswald, kan ik je nog ergens mee plezieren? In de keuken ligt nog een stuk van de ree.'

Oswald maakt afwerende gebaren. 'Dank je, Margriet. Ik heb heerlijk gegeten.'

Moeder laat de meiden afruimen en de zaal aanvegen. Berend en Walburga stuurt ze naar de keuken om twee emmertjes boter op te halen.

'Breng onze welgemeende groeten over aan de bewoners van de Hackforthuisjes,' zegt ze als ze hen uitzwaait. Dan tilt ze Elizabeth op die jengelend aan haar rokken trekt. 'En deze kleine dame gaat een slaapje doen.'

Berend vertelt Walburga waar ze heengaan. 'De huisjes

liggen aan een steeg van de Spittaalstraat. Dat is de straat waardoor we Zutphen binnenkwamen, buiten de Spittaalbinnenpoort.'

'Dan moeten we volgens mij deze kant op,' zegt Walburga en ze kijkt bepaald trots. Het vriest nog steeds buiten en het lijkt nog kouder dan de dag daarvoor.

'Als het droog blijft, wil mijn vader vast snel vertrekken,' denkt Walburga hardop. 'Stel je voor dat het gaat sneeuwen, dan komen we voorlopig niet meer weg.'

'Daarom wil ik nu naar de stadspoorten gaan kijken. Misschien hebben die wel versterking nodig en moet het geld van oom Jacob daarvoor gebruikt worden.'

'Goed bedacht!' Walburga knikt instemmend.

'Dit is de Saltpoort.' Berend kijkt langs het bakstenen bouwwerk omhoog. 'Hij is wel dichtgemetseld, maar hij ziet er toch indrukwekkend uit, vind je niet?'

Walburga trekt hem verder naar de Spittaalbinnenpoort. 'Laten we hiernaar kijken, dit is nu toch de echte poort?'

'Ja,' zegt Berend. 'En hij lijkt me stevig genoeg.'

Walburga kijkt met hem mee. 'Vind ik ook. En de Laarpoort die we vanochtend zagen, was volgens mij ook prima. Zijn er nog meer poorten?'

'De Marspoort, de Vispoort, de Nieuwstadspoort, de Olypoort en de Bovenberg*, de poort over de rivier de Berkel. En dan nog de poorten aan de kant van de IJssel.'

'Laten we dan maar snel naar de Hackforthuisjes gaan, als we al die poorten nog willen bekijken.' Voortvarend

---

* Die noemen we nu de Berkelpoort.

loopt Walburga de Spittaalstraat in. Ze botst daardoor tegen een oudere heer op, die net de Spittaalbinnenpoort wil binnengaan.

'Wat een haast, jongedame.'

'Heer Lerinck!' roept Berend. Het is de grootvader van zijn vriend Willem, tegen wie Walburga aan gelopen is.

'Kijk eens aan, Berend, de zoon van de heer van Vorden.' De oude heer pakt Berend bij beide schouders vast. 'Wat ben je groot geworden!'

Berend krijgt er een kleur van. Alle volwassenen zeggen hetzelfde als ze je een tijdje niet hebben gezien.

'Ja...' Berend zegt bijna: 'U ook.' Maar hij bedenkt zich op tijd dat dat onzin is. Lerinck is al een oude man, maar dat zie je hem niet aan. Zijn grijze baard is keurig kort gesneden, zijn grijsblauwe ogen kijken Berend geïnteresseerd aan. Zijn wangen blozen van de kou.

'Heb je je vriend Willem al gesproken sinds je in de stad bent?'

'We hebben elkaar vanochtend nog gezien.'

'Hoe ging het met mijn kleinzoon?' Lerinck begint vreemd te lachen.

'Heel goed,' zegt Walburga. 'Heeft u hem soms al een tijdje niet gezien?'

'Ik zie hem dagelijks.' Willems grootvader buigt zwierig voor Walburga en dan wijst hij naar de emmertjes boter in Berends handen. 'Ik zal jullie niet langer ophouden. Die emmers worden zo te zien behoorlijk zwaar.'

Hij zwaait nog eens en loopt dan de Spittaalbinnenpoort in.

Berend en Walburga kijken elkaar aan. 'Vreemd,' zeggen ze tegelijkertijd.

De brug over de IJssel

Als Berend en Walburga de volgende ochtend door Willem worden opgehaald, sneeuwt het zachtjes. Op de kiezels van de straten ligt een dun wit laagje.

'Het blijft liggen.' Walburga kijkt tevreden. 'Voorlopig
zijn we nog niet weg.' Voorzichtig zet ze de ene voet voor
de andere. Haar *trippen,* de houten kleppers die ze over
haar dunne leren schoenen draagt, zijn glad. Bruin glib-
bert naast haar over de kiezels. Het lijkt wel of hij het eng
vindt om zijn poten op de witte grond te zetten.

'Heeft Walburga de brug over de IJssel al gezien?'
vraagt Willem.

Berend schudt zijn hoofd en onderdrukt een glimlach.
Als je Willems gezicht ziet, zou je denken dat hij de brug
zelf gebouwd had.

'Ik ben er geweest en ik heb de wachters daar het stadszegel even laten vasthouden.' Willem haalt verontschuldigend zijn schouders op.

'Een goede brug is belangrijk voor de stad,' zegt Walburga ineens.

'En de verdediging ervan ook,' vult Berend aan.

Willem kijkt van de een naar de ander. Hij begrijpt niet
waar ze het over hebben, en Berend gaat het hem ook
niet uitleggen.

Met zijn drieën naast elkaar lopen ze door de stad naar
de Marspoort en vandaar naar de brug. Willem loopt

naar de wachten die bij de brug staan en knoopt een gesprek aan.

Walburga en Berend lopen het houten gevaarte op. Ondanks de kou stroomt de IJssel er met een enorme vaart onderdoor. De rivier is donker en het water kolkt bij de peilers. Berend grijpt onwillekeurig de leuning.

'Is het wel veilig?' Walburga is niet snel bang, maar nu ziet Berend toch iets van angst in haar bruine ogen.

'Zeker,' zegt Berend, maar zo voelt het niet. 'Kom, we gaan de wachten vragen hoe de brug beveiligd wordt.'

Willem komt hen teleurgesteld tegemoet. 'Ze hebben het zegel niet.'

Berend is blij dat hij weer op vaste grond is. De brug is glad met het dunne laagje sneeuw erop. Hij stapt op een van de wachters af.

'Hoe wordt de brug verdedigd in tijden van oorlog?'

'Door de schutters en door de marine van de stad natuurlijk. Maar dat is niet altijd genoeg. Gelre is de laatste tijd onveilig. Zutphen en Deventer zijn het niet altijd eens. En met de hertog zo ver weg durft Deventer wel.'

De wachter slaat zijn handen in elkaar en wrijft ze. 'Ik zal blij zijn als ik afgelost word, want ik heb het behoorlijk koud hier!'

Berend en Walburga lopen terug de stad in, en Willem sjokt op een afstandje achter hen aan. Hij tobt nog steeds over het verdwenen stadszegel.

'Wat moet ik toch met het geld van oom Jacob?' vraagt Berend zachtjes aan Walburga.

'Het moet in ieder geval niet naar de schutterij. En vol-

gens mij zijn de stadspoorten die we gezien hebben stevig genoeg.'

'De marine waar de wachter het over had... waar hebben die hun schepen? Misschien moeten we daar nog eens gaan kijken.'

Berend kijkt om. Willem heeft geen belangstelling voor hun gesprek.

'We hebben nog niet gekeken naar de Bovenberg,' zegt hij, 'dat is de poort die over de Berkel gaat. En buiten de Vispoort liggen de schepen van de marine.'

Walburga stoot hem aan. Ze lopen inmiddels op de Korenmarkt en voor hen loopt Oswald met twee heren. Druk gebaart hij met zijn armen en de mannen knikken af en toe gehoorzaam.

'Waar hebben die het over?'

'Dat zou ik ook wel eens willen weten!'

'Ik ga naar huis,' roept Willem. Berend en Walburga kijken om. De kleinzoon van de oude Lerinck steekt zijn hand op en loopt de Enghepoortstraat in.

'Ik vind het wel zielig dat hij zich zo'n zorgen maakt over het zegel,' zegt Walburga. Samen slenteren ze achter Oswald en de heren aan. Ze zullen zo wel tegelijk thuiskomen.

'Maar het is natuurlijk wel zijn eigen schuld. Wie schept er nou op met het stadszegel?' Ineens staat Berend stil.

'Ze lopen de Rodetorenstraat in.' Hij wijst naar Oswald en de heren. 'Zullen we achter ze aan lopen? Misschien horen we nou eindelijk waarom Oswald hier is.'

Walburga aarzelt even. Het is een beetje gek om je eigen vader te gaan bespioneren.

Dan zien ze Oswald de herberg De Rode Toren ingaan.

'Ga jij maar. Een meisje in de herberg... Dat valt op. Jij kan op zoek zijn naar je heer. Ik wacht buiten. Als het lang duurt, loop ik door naar huis.'

Berend duwt de deur van de herberg open. Hij gluurt voorzichtig om de hoek. Kan Oswald hem zien? Nee. Hij zit achterin aan een tafel met de heren te praten, met zijn rug naar de deuropening toe.

Het is druk in de herberg, en overal staan groepjes mannen met elkaar te praten. Een jonge meid deelt kannen bier rond. Berend besluit een eindje in Oswalds richting te lopen.

'Losgeld?' hoort hij dan één van de heren zeggen. 'En hoeveel moeten we dan betalen?'

De meid tikt Berend op zijn schouder. 'Zoek je iets?'

'Mijn vader,' antwoordt hij zonder aarzelen. 'Maar hij is hier niet.'

Dan draait hij zich om en loopt naar buiten. Walburga staat nog op hem te wachten, met Bruin aan haar voeten.

De Bovenberg

46 Gestaag blijft de sneeuw vallen. Er ligt al een dikke laag op de straten en de mooie blauwe torenspits van de Onze Lieve Vrouwekerk is helemaal wit.

Walburga houdt haar vader tegen voor hij de deur uitgaat. 'Wordt moeder niet bezorgd? We blijven zo lang weg.'

Oswald glimlacht en drukt zijn dochter tegen zich aan. 'Ze begrijpt best dat we niet reizen als er sneeuw ligt. En ze weet dat ik met een belangrijke boodschap bezig ben. Ik kan mijn tijd hier goed gebruiken. Wat zijn jullie plannen voor vandaag?'

'Berend laat me de Bovenberg zien en misschien gaan we nog naar schepen die buiten de Vispoort in de IJssel liggen.'

'Ga maar niet buiten de stad. Het blijft gevaarlijk.' Oswald bukt zich om Walburga te kussen en dan loopt hij zonder omkijken de stad in.

Direct daarna vertrekken Berend en Walburga. Dit keer halen ze Willem op bij zijn huis aan de Oude Wand en lopen daarna door naar de Bovenberg. Dat is niet ver van zijn huis.

De straat ernaartoe is niet bestraat en blubberig. Walburga trekt met een vies gezicht haar rokken op. 'Ik ben al helemaal gewend aan de kiezels op de andere wegen,' zegt ze.

Bij de Bovenberg is het stil. Er is weinig verkeer op de rivier met dit weer. De wachters bij de poort zijn blij dat ze wat afleiding hebben.

'Hé Willem,' roept er een. 'Heb je het stadszegel bij je? Ik wil het nog wel eens zien.'

Berend en Walburga kijken elkaar aan. 'Hij heeft er wel heel erg mee lopen leuren,' mompelt Berend. Maar Walburga heeft haar aandacht al bij iets anders.

'Een poort over een rivier! Wat geweldig! Maar als de stad wordt aangevallen? Hoe moet dat dan? Dan kan de vijand zo naar binnen varen.'

'Nee!' Een andere wachter springt ijverig naar voren. 'Kijk, daaronder is een groot ijzeren hek, dat kunnen we laten zakken. En dan kan er geen boot meer door. Bovendien heeft onze stad ook een marine. Langs de Polbeek ligt een scheepswerf en daar worden onze eigen schepen gebouwd. Onze stad kan door niemand worden aangevallen!'

De wachter die Willem net riep komt erbij staan. Hij slaat zijn armen om zijn lijf om de kou weg te jagen.

'Dat is onzin, en dat weet jij ook. Onze stad is voortdurend in oorlog de laatste jaren. Er gaat geen jaar voorbij of er wordt wel gevochten. Nu heeft Johan van Wisch een verbond met de bisschop van Utrecht. Samen vallen ze steden aan, hier en in Overijssel. Al heeft een stad nog zo'n goede vloot, tegen de bisschop van Utrecht kan niemand op.'

De wachters raken met elkaar in discussie en vergeten de kinderen die erbij staan.

'Natuurlijk wel! Onze hertog zou dat leger moeten verslaan en die verschrikkelijke Johan van Wisch gevangen moeten nemen.'

'Onze hertog is een Oostenrijker, die belangrijker dingen aan zijn hoofd heeft dan de veiligheid van Zutphen en de rest van Gelre...'

'De sterkte van de vloot maakt dus niets uit voor de veiligheid van de stad.' Berend gaat dapper tussen de pratende wachters staan.

Verbaasd kijken ze naar de jongen die hun gesprek onderbreekt.

'Ik denk eigenlijk van niet,' zucht de jongste van de twee dan.

'Maar een goede vloot is wel belangrijk voor de stad.' Zijn collega blijft positief.

'Weet je wat zou helpen? Een stevig kanon. Stel je voor dat Zutphen het allersterkste kanon van heel Gelre zou hebben. Dan blazen we die Johan van Wisch in één keer terug naar zijn kasteel de Wildenborch.' De jongste wachter kijkt bepaald moordlustig.

Walburga kijkt verbaasd. 'Hééft de stad dan al dat soort wapens?'

'Ga maar eens kijken bij het Kruit- en bussenhuis op het 's Gravenhof, daar ligt het buskruit voor de hele stad opgeslagen!'

Berend knikt maar eens en dan trekt hij Walburga mee. 'Kom, ik zal je het Kruithuis laten zien. Ik weet waar het is.'

'Ik ga ook mee.' Willems gezicht is een beetje witjes.

'Ben je daar ook al geweest met het stadszegel?' Berend merkt dat zijn stem scherp klinkt. Hij begint het geduld met zijn vriend te verliezen.

'Nee, dat niet. Ik kan zo langzamerhand niet meer be-denken waar ik nog meer geweest ben.' Moedeloos haalt hij zijn schouders op. 'Maar ik durf niet meer zo goed naar huis. Mijn opa zit me de hele tijd raar aan te kijken. Ik ben bang dat hij weet dat ik het zegel zoekgemaakt heb.'

Zwijgend lopen ze met zijn drieën naar het bussen-huis. Willem is de eerste die de stilte weer verbreekt.

'Waarom kijken jullie zo naar de verdediging van de stad? Ik kan me voorstellen dat dat een meisje niet zoveel kan schelen.'

Berend schiet bijna in de lach. Zoiets moet je tegen Walburga niet zeggen!

Boos blijft die staan. 'Later word ik kasteelvrouwe. Dan moet ik net zoveel van verdediging weten als mijn man. Ik bereid me voor op mijn toekomst!'

Dan steekt ze haar neus in de lucht, grijpt haar rokken bij elkaar en loopt verder. 'Wat doet de stad trouwens met al dat kruit?' vraagt ze nog.

'De stad heeft behoorlijk wat donderbussen!' Willem draaft achter haar aan. 'Voordat ik geboren was, had de stad een heel groot kanon, maar dat is gestolen door de vijand. Nu hebben we salpeterkaarsen, daarmee kunnen we vlammen op de vijand werpen.'

Ze staan stil bij het Kruithuis.

'Hier wordt het kruit van de hele stad opgeslagen,' legt Berend uit.

'Fijn.' Walburga draait zich om. 'Nu gaan we naar huis, want ik heb koude voeten. Dag Willem.'

Verbouwereerd blijft de jongen staan.

Eerlijk gezegd kan het Berend niet veel schelen dat Walburga zo kattig tegen zijn oude vriend doet. Dan moet hij maar niet zulke stomme dingen tegen haar zeggen en wat beter op zijn spullen passen.

Door de sneeuw wandelen ze samen terug in de richting van de Proosdij, het huis dat ooit van oom Jacob was.

'Weet je Walburga, al die wapens en al die spullen om de stad te verdedigen – ik heb er geen goed gevoel over. Het zijn allemaal dingen die een klein beetje helpen. Stel je nou voor dat ik het geld van oom Jacob aan de marine geef. Dan laat die daar een mooi schip van bouwen. Op een kwade dag wordt de stad door een leger vanaf het land aangevallen en dan heeft de stad niks aan dat schip. En zou de stad nou gered kunnen worden met één kanon?'

'Dat denk ik niet.' Walburga kijkt ernstig. 'Het zijn allemaal van die oorlogsdingen. Het geld van je oom Jacob is bestemd voor de vrede en dan geef je het aan wapens. Dat klopt toch niet?'

'Dat is ook zo. Maar wat moet ik dan?'

Berend bukt zich en pakt een handvol sneeuw. Daar kneedt hij een mooie sneeuwbal van. Hij kijkt om zich heen. 'Jammer dat Willem nergens te bekennen is. Ik had graag een sneeuwbal naar hem gegooid.'

Walburga wijst. Er waggelt net een groot dik varken voorbij. Mopperig knorrend zet het zijn pootjes in de sneeuw.

'Tegen zijn bil! En dan denk je aan Willem.'

Op dat moment knalt er een bal tegen Berends schouder. Met een ruk draait hij zich om.

Lachend steekt Oswald zijn hand op. 'Gaan jullie mee naar huis? Volgens mij heeft Berends moeder wel iets warms voor ons. Het lijkt me heerlijk om mijn natte voeten bij het vuur te drogen.'

Berend laat zijn bal vallen. Dat is een goed idee van Oswald.

Nog een vergadering van de schepenraad

Berend en Walburga zitten bij Gerritje aan de tafel bij de haard. Ze zijn gisteren en vandaag niet naar buiten geweest omdat er zoveel sneeuw ligt. Het is bitter koud en dan kun je maar beter dicht bij het vuur blijven zitten. Ook Bruin heeft een plekje voor de haard gekozen. Hij piept een beetje in zijn slaap. Zou hij dromen?

'Kijk eens, warme bollen.' Gerritje zet een schaal vers gebakken broodjes voor ze neer. 'Misschien worden jullie daar vrolijk van.'

'Lekker.' Berend pakt er een van de schaal en neemt een flinke hap van een broodje. Hij kijkt inderdaad een beetje somber. 'Ik weet het echt niet,' zegt hij met zijn mond vol.

'Zolang er sneeuw ligt, heb jij nog tijd om na te denken.' Walburga kiest zorgvuldig een mooi bruin broodje uit.

Met veel lawaai komt Willem de keuken in gestommeld. Berend doet zijn best om niet meteen geërgerd te kijken, Willem is immers jaren een van zijn beste vrienden geweest.

'Heb je nog een plek bedacht waar je met het zegel geweest bent?' Walburga klinkt niet echt geïnteresseerd.

'Nee, maar ik hoorde dat er zo meteen een extra schepenraadsvergadering begint. En Oswald is er gast. Misschien willen jullie kijken? Nu kunnen jullie op tijd zijn.'

Nu springen Walburga en Berend tegelijkertijd van de houten bank waar ze op zaten. 'Goed van je, Willem!' Berend slaat hem op zijn schouder. 'We gaan gelijk met je mee.'

Walburga heeft een muts en een mof van bont en natuurlijk haar warme cape. Ook Berend zorgt dat hij extra warme kleren aan heeft. Op de zolder was het niet echt warm.

Achter Willem aan rennen ze naar de Grote Hofstraat. Het is gelukkig niet ver, want op de weg is een smal pad gebaand tussen hoge sneeuwwallen door en de platgetrapte sneeuw is opgevroren en spiegelglad.

'Vlug, de trap op,' fluistert Willem. Uit de zaal klinkt al geroezemoes.

'We zijn toch niet weer te laat?' Met grote stappen klimt Berend de wenteltrap op.

'Volgens mij gaan ze net beginnen.'

Willem helpt Walburga bij het lopen over planken. Ze zet haar voeten voorzichtig neer: niemand mag weten dat er precies boven de zaal drie kinderen lopen. Op dezelfde plek als de vorige keer gaat Berend op zijn knieën zitten. Walburga hurkt naast hem.

Maar Berend kan nog niet goed door de spleet kijken. Hij gaat weer op zijn buik liggen. Zo kan hij beneden alles zien. Walburga komt tegenover hem liggen.

De schepenen van de stad zijn verzameld. Berend schat dat het er een stuk of vijftien zijn.

De opa van Willem neemt het woord.

'Graaf Oswald van den Bergh is vandaag in ons midden. Een belangrijk man, zoals u weet. Een van de vier *bannerheren* van Gelre, die net zo hoog in rang zijn als de hertog zelf. Hij heeft een paar dagen geleden een vraag aan de stad voorgelegd, maar toen waren niet alle schepenen aanwezig. Omdat het een belangrijk onderwerp betreft, hebben we deze extra vergadering belegd. Graaf Oswald, mag ik u het woord geven?'

Oswald gaat in het midden van de zaal staan en kijkt goed om zich heen. Berend begrijpt waarom: hij wil zorgen dat iedereen naar hem luistert.

'Gelre is al een aantal jaren onveilig. Eerst woedde er een burgeroorlog. Twee mensen hadden het recht de vorige hertog op te volgen: de jonge Karel van Egmond, omdat zijn vader de vorige hertog was, en Maximiliaan II van Oostenrijk. Zijn vrouw had dat recht geërfd van haar vader. Die vader hielp Gelre ooit tijdens een eerdere burgeroorlog. Hij was zelfs een tijdje inval-hertog.

De meeste Gelderse steden en ridders steunden Karel, maar Maximiliaans leger was sterker. Hij won de strijd en hij is nu onze hertog.

We hebben de afgelopen jaren allemaal gezien dat Maximiliaan zich weinig van Gelre aantrekt. Hij bevindt zich voortdurend in het buitenland. Kwade krachten staan op en maken de onrust in Gelre dagelijks groter. Johan van Wisch, de roofridder van de Wildenborch is één van de veroorzakers daarvan. Het wordt tijd dat de rust weerkeert. We hebben een hertog nodig die voor onze vrede vecht.

Ondertussen is de jonge Karel van Egmond volwassen geworden. Hij is tijdens een veldslag gevangengenomen door de Franse koning. In zijn gevangenis zit hij te popelen om terug te keren en hier de rust te herstellen. En de Franse koning wil Karel laten gaan voor een grote som losgeld. Karel heeft mij geschreven om te vragen of ik dat losgeld bij elkaar wil brengen en ik verzoek de stad Zutphen om hieraan bij te dragen.'

Als Oswald zwijgt, barst het geroezemoes los.

Een van de schepenen treedt naar voren. 'U vraagt ons om mee te doen aan een burgeroorlog!'

'Zelfs als dat geld bijeengebracht wordt, zal ons dat een oorlog van jaren opleveren,' zegt een ander. Maximiliaan zal Gelre immers niet zonder slag of stoot opgeven.'

Vanaf dat moment is het gesprek niet meer te volgen. De een schreeuwt nog harder dan de ander.

'Heren, heren.' Willems opa probeert de orde weer te herstellen. 'We geven u de gelegenheid om erover na te denken en er met elkaar over te praten. Volgende week komen we weer bij elkaar om het verzoek van Oswald in stemming te brengen.'

Hierna vormen zich kleine groepjes in de zaal van heftig discussiërende mannen. Berend gaat voorzichtig weer op zijn knieën zitten.

'Nu weten we in ieder geval wat Oswald hier kwam doen.' Walburga gaat staan om haar benen te strekken. 'Ik heb kramp in mijn benen!'

'We moeten hier blijven tot iedereen weg is,' zegt Willem. 'Niemand mag ons op de trap zien.'

Berend knikt. Hij heeft veel om over na te denken, na wat hij gehoord heeft. Heeft de schepen gelijk, die zegt dat Oswald oproept tot een burgeroorlog? Of heeft Oswald gelijk en zal Karel de rust in Gelre terugbrengen? Als dat zo is...

Met zijn drieën wachten ze tot het stil wordt in de zaal. Het duurt lang. Oswalds oproep heeft veel teweeggebracht, dat is duidelijk.

Berend besluit maar weer eens op zijn buik te gaan liggen, om te kijken hoeveel mensen er nog in de zaal zijn.

Die begint inmiddels aardig leeg te lopen. Oswald staat met Willem Lerinck na te praten bij het kistje van de stadszegel. Willems opa opent het kistje en even denkt Berend dat zijn hart stilstaat. Nu gaat gebeuren waar zijn vriend Willem zo bang voor is: de oude Lerinck zal zien dat het zegel ontbreekt.

Maar dan ziet hij tot zijn verbazing dat die het zegel in zijn hand heeft.

Berend kan duidelijk verstaan wat hij tegen Oswald zegt.

'Ik heb ontdekt dat mijn kleinzoon regelmatig met dit kostbare voorwerp op stap ging. Aan Jan en alleman liet hij het zien. Ik ben bang dat hij zo de macht van onze familie wilde bewijzen. Het werd tijd dat ik hem een lesje leerde. Ik heb het zegel een tijdlang thuis bewaard. Ik hoopte dat Willem de verdwijning zou bemerken en dat hij daar behoorlijk zenuwachtig van zou worden. Dat is goed gelukt.'

De oude Lerinck lacht kakelend. 'Een beetje te goed, want nu vertelt het jong weer aan iedereen die het weten wil, dat het zegel verdwenen is. Ik zal het nu dus maar weer in de kist doen.'

'U gaat hem flink straffen, neem ik aan?' Oswalds donkere stem galmt door de inmiddels bijna lege zaal.

'Daar kunt u op rekenen, graaf Oswald.'

Dan lopen hij en Oswald de zaal uit. Achter zich trekt Lerinck de zware houten deur dicht. De schepenraadsvergadering is afgelopen.

Het geld van oom Jacob

Berend gaat met moeite weer staan. Hij is stijf geworden van de kou op de zolder.

'En? Hoe vond je de vergadering? Het was vast saai. Als ik wel eens luister, snap ik er meestal niet veel van. En dan gaat het altijd over dingen met geld.' Willem draait zich om en loopt in de richting van de trap. Hij heeft dus niet gehoord waar zijn opa en Oswald het op het laatst over hadden.

'Willem, wacht even.'

Verbaasd kijkt Willem om. Hij begrijpt natuurlijk niet waarom Berend niet zo snel mogelijk van de koude zolder af wil.

'Ik weet waar het stadszegel is.' Berend voelt een lach in zijn buik kriebelen. De opa van Willem heeft zijn kleinzoon goed bij de neus.

Ongelovig staart Willem hem aan. 'Hoe...? Dáár hadden de schepenen het toch niet over?'

'Nee, maar je opa wel. Hij liet het zegel aan Oswald zien, net voordat ze weggingen. Hij vertelde hem dat jij steeds met het zegel in je zak had lopen opscheppen. Hij wilde dat je het benauwd kreeg en verstopte het zegel thuis.'

Willems gezicht wordt knalrood.

'Je krijgt een flinke straf als je straks thuiskomt...'

Zonder iets te zeggen loopt Willem de trap af. Als Berend en Walburga beneden zijn, is hij nergens meer te zien.

'Vervelend dat hij straf krijgt, maar gelukkig is het zegel weer terecht,' vindt Walburga. Voor ze de straat op stapt, trekt ze haar mantel nog eens goed om zich heen.

'Wat was het koud daarboven!'

Het pad door de sneeuw is te smal om naast elkaar te lopen.

'Wat vind jij van het verzoek van je vader aan de schepenraad?' Berend kijkt naar de rug van Walburga en hij ziet haar schouders omhoog gaan.

'Het is al zo lang onrustig in Gelre. Er moet iets gebeuren, en deze hertog doet dat niet. Mijn vader en andere Gelderse ridders hebben hem vaak om hulp gevraagd, maar die komt er nooit.'

Eigenlijk weet Berend dat al vanaf het moment dat hij naar huis Bergh ging. Ook toen was het gevaarlijk om te reizen, en de hertog heeft daar sindsdien nog niets aan gedaan.

'Gelre is voor hem niet belangrijk genoeg,' zegt Walburga. 'Hij heeft nog veel meer landen te besturen.'

Ineens blijft ze stilstaan en ze draait zich om. 'Maar misschien is het verraad om een nieuwe hertog aan te stellen achter de rug van de oude om...'

Dat is precies wat Berend ook dacht, maar nu Walburga het hardop zegt, weet hij het antwoord.

'Karel van Egmond is de zoon van onze vorige hertog. Dan is hij toch eigenlijk de opvolger? Maximiliaan heeft het recht op het hertogdom niet zelf; zijn vrouw had dat. En die is nu dood. Ze is van haar paard gevallen bij de val-

kenjacht, dat heeft je vader ons toch verteld? En háár vader was alleen maar een inval-hertog.'

Zwijgend lopen ze naar huis. Berends hersens draaien
op volle toeren.

Die avond werkt Berend bij het eten net zo hard als anders. Hij rent naar de keuken voor kruiken wijn, vult de
manden met brood aan en haalt nieuwe schalen met
taarten als de oude leeg zijn.

Na het eten nemen zijn vader en Oswald plaats op de
grote houten zetels bij het vuur. Zijn moeder zit op de
houten bank, iets verder van de mannen. Walburga gaat
naast haar zitten, maar Berend stapt op zijn vader en zijn
heer af.

Zijn vader wuift hem weg met zijn hand. 'Berend, ga
maar bij de vrouwen zitten. Oswald en ik moeten gehei-
me besprekingen voeren.'

Berend zet een extra stap naar voren.

'Ik heb een belangrijke mededeling te doen.'

De wenkbrauwen van zijn vader schieten omhoog. En
zijn mond trekt samen. Duidelijker kan vader zijn afkeu-
ring niet laten merken, maar Berend trekt er zich niets
van aan.

'Ik weet waar jullie besprekingen over gaan. Walburga
en ik hebben vanmiddag de schepenraadsvergadering afgeluisterd.'

'Wat?!!' Berends vader schiet omhoog uit zijn stoel en
Oswald grijpt naar zijn baard.

'Zijn jullie nu helemaal...!'

De heer van Vorden beent met grote stappen weg van
het vuur.

Walburga staart Berend met open mond aan. Ze begrijpt niets van zijn bekentenis.

Oswald gaat staan en Berend ziet de rimpels op zijn voorhoofd samentrekken. Hij kent zijn heer lang genoeg om te weten dat dit niet veel goeds betekent.

'Dat hadden we niet mogen doen. Het spreekt voor zich dat we met niemand zullen praten over wat we gehoord hebben.' Berends stem klinkt rustig, maar hij voelt zijn knieën trillen.

'Dank je de koekoek!' Het is voor het eerst dat Oswald iets zegt. 'Je moet met een heel goede verklaring komen als je nog met ons naar huis Bergh wil terugkeren.'

'Die heb ik niet. We waren nieuwsgierig en ik wilde graag weten wat u hier in Zutphen kwam doen. Ik wist dat u mijn vragen niet zou beantwoorden. Daarom heb ik ze ook niet gesteld.'

Vol onbegrip staart graaf Oswald naar zijn page. 'Ik begrijp niet waarom je ons dit vertelt. Als je had gezwegen, hadden we het nooit geweten. Dan was je over een paar dagen met me mee teruggegaan naar Bergh.'

'Precies!' Voor het eerst mengt Walburga zich in het gesprek. Zij denkt kennelijk ook dat Berend op zijn achterhoofd gevallen is.

'Ik heb een goede reden om het te vertellen.' Berend slikt even en dan gaat hij dapper door.

'De eerste dag dat we in Zutphen waren, zijn Walburga en ik naar het Predikherenklooster geweest. De prior heeft ons het testament van oom Jacob voorgelezen. Oom Jacob heeft een grote som geld nagelaten, die besteed moet worden aan de vrede en veiligheid van Zutphen. Hij heeft mij aangewezen als de persoon die moest bepalen waar dat geld heenging.'

'Jou? Een kind?' Oswald snapt er steeds minder van.

'Een kind had volgens oom Jacob geen politieke belangen. Dat zou de meest zuivere beslissing kunnen nemen. Ik mocht er met jullie ook niet over praten, anders zouden jullie me kunnen beïnvloeden.'

Berends moeder mengt zich nu ook in het gesprek. 'Ik heb me de afgelopen dagen vaak afgevraagd wat de prior je te vertellen had. En je liet me duidelijk merken dat het me niks aanging!' Ze glimlacht en Berend is opgelucht dat zij in ieder geval niet heel boos op hem en Walburga is.

'Ga verder.' De stem van de heer van Vorden klinkt scherp. Het gedrag van zijn zoon is hem een raadsel.

'Walburga en ik hebben de afgelopen dagen veel door Zutphen gewandeld en we hebben van alles bekeken.'

Walburga staat op en gaat naast Berend staan. Ze begrijpt waar hij heen wil.

Berend vindt het fijn dat hij er nu niet meer zo alleen voor staat.

'Eerst dachten we dat het geld van oom Jacob misschien wel naar de verdediging van de stad moest. Het zou bijvoorbeeld gebruikt kunnen worden om nieuwe wapens aan te schaffen, of om een oorlogsschip te bouwen of om de torens van de stad te versterken. Maar dat vonden we allebei niets. Het zou steeds maar een klein beetje helpen en Walburga vond de oplossingen allemaal te oorlogszuchtig.'

'Het gaat toch om vrede en dan moet je geen wapens kopen,' verdedigt ze zichzelf.

Oswald en de heer van Vorden kijken inmiddels niet meer zo boos. Ze lijken vooral nieuwsgierig naar Berends beslissing.

Het is even stil.

'Vanmiddag na de schepenraadsvergadering wist ik het ineens,' zegt Berend dan. 'Het geld van oom Jacob moet gebruikt worden voor het losgeld voor Karel van Egmond. Misschien dat een nieuwe hertog vrede kan brengen in heel Gelre.'

Berends vader loopt terug naar het haardvuur. Naast Oswald blijft hij staan. Hij zegt niets, dat laat hij aan Oswald over. Die is nu immers de heer van Berend; het is belangrijk wat hij ervan vindt.

Oswald krabt eens in zijn baard en even lijkt het of er een traan in zijn ooghoek glinstert. Dan schraapt hij luidruchtig zijn keel en staat op. Met beide handen pakt hij Berend bij zijn schouders.

'Dank je, Berend, voor het vertrouwen dat je de nieuwe hertog geeft. Ik vind het dapper dat je bekend hebt dat jullie ons afgeluisterd hebben. Je wist heel goed welk risico je daarmee nam.'

Berend knikt verlegen.

'Je hebt laten zien dat je oud en verstandig genoeg bent om mee te denken over zaken van vrede en veiligheid. Voortaan zul je niet meer buitengesloten worden van de gesprekken over politiek.'

Berend trekt Walburga naar voren.

'Ik had het nooit zonder uw dochter gekund. Zij heeft vanaf het begin meegedacht.'

Oswald kijkt trots naar haar. 'Ze zal later een goede

kasteelvrouwe worden. De man die haar trouwt, mag blij met haar zijn.'

'En hoe gaat het nu verder?' Berends vader straalt bijna nog meer dan Oswald. Hij is duidelijk opgelucht dat het verhaal van zijn zoon een onverwacht goede wending heeft genomen.

'Morgen ga ik naar de prior, om te zeggen welke beslissing ik heb genomen.'

'Goed,' zegt Oswald. 'En ik zal Willem Lerinck vragen om de schepenraad nog één keer bij elkaar te roepen. Dan mogen jij en Walburga zelf in de vergadering komen vertellen waar het geld van oom Jacob heengaat. Misschien helpt het de schepenen de juiste beslissing te nemen.'

Walburga maakt een sprongetje van plezier en dan vliegt ze haar vader om de nek. 'Ik weet al waar ik in de zaal wil staan. Jij ook, Berend?'

'Dicht bij het vuur,' antwoordt hij onmiddellijk. 'Daar is het niet zo koud als op de zolder boven de zaal.'

Over dit boek

Berend van Hackfort heeft echt bestaan. Hij is geboren rond 1480 in Vorden en gestorven in 1557. Toen was hij inmiddels heel beroemd. Tot zijn pensioen in 1544 is hij in dienst geweest van hertog Karel van Gelre.

Die hertog van Gelre was een nogal vechtlustig baasje. En Berend moest dus overal voor hem uit vechten. Hij ging zelfs voor de hertog naar Oost-Friesland om oorlog te voeren. Toen het daar vrede werd, was Berend een van de mannen die zijn handtekening daarvoor zette. Daar kun je aan zien, hoe belangrijk de hertog Berend vond.

Over de jeugd van Berend is weinig bekend. Wel wordt het verhaal verteld dat hij als puber van huis weggelopen zou zijn. Samen met een troubadour trok hij over de Veluwe. En hij zou zelfs de kost verdiend hebben als schoenmakersknechtje. Hij werd herkend en daarna naar het hof van Karel van Gelre gebracht. Daar werd hij opgeleid voor het leger van de hertog. Hierover kun je meer lezen in *Gevecht met de wolf.*

Wat er voor Berends vijftiende gebeurd is, weet niemand.

Wat Berend deed toen hij acht was, is dus niet bekend. Daarom heb ik dat in *Berend en het verdwenen stadszegel* voor een deel verzonnen. Ik heb wel gebruik gemaakt van echte gebeurtenissen.

Het was in 1488 en 1489 heel onrustig in Gelre. Maximiliaan was er hertog, maar hij verbleef een groot deel van de tijd in het buitenland. Hij kon dus niet alles in de gaten houden.

Graaf Oswald, zijn vrouw Elizabeth en zijn dochter Walburga hebben echt bestaan. Walburga was net zo oud als Berend. De families hebben elkaar zeker gekend, maar of Berend bij Oswald page was... Dat heb ik verzonnen.

Oswald kreeg in deze jaren echt brieven van Karel van Egmond en zijn zus, die hem vroegen om losgeld voor Karel te verzamelen. De koning van Frankrijk schreef hem ook over deze kwestie. Waarschijnlijk heeft Oswald hier zijn best voor gedaan, maar daar zijn geen bewijzen van. Uiteindelijk zou het tot 1492 duren voordat Karel van Egmond naar Gelre kwam en daar hertog werd. Door Maximiliaan zou hij nooit erkend worden.

Uit de jaren 1488 en 1489 zijn ook veel klachten bekend over de roofridder Johan van Wisch. Die maakte Gelre behoorlijk onveilig.

Willem Lerinck was echt schepen van de stad Zutphen, hij heeft die functie meer dan 25 jaar bekleed.

De torenspits van de Walburgskerk was net voltooid, die moet eruitgezien hebben als een raket zo groot. Jammer genoeg is die er nu niet meer. Veel andere dingen uit het boek kun je in Zutphen nog steeds zien. Ga er maar eens heen, het centrum is nog steeds een echte middeleeuwse stad!

Jacob van Hackfort is werkelijk in 1488 overleden, en ook is het verhaal in het boek over zijn begrafenis echt gebeurd. Het verhaal van zijn testament heb ik verzonnen, maar het moet een man zijn geweest die een hart had voor anderen. In 1478 liet hij de Hackforthuisjes bouwen, waar arme horigen (een soort slaven) van zijn landgoed hun oude dag konden doorbrengen. Die huisjes zijn in de zomer van 2005 opgegraven door archeologen.

De stadsarcheoloog van Zutphen, Michel Groothedde, heeft dit verhaal voor mij op fouten gecontroleerd. Ik dank hem hartelijk voor zijn hulp.

Wil je een foto zien van Berend? Kijk dan op de website www.berendvanhackfort.nl. Daar zie je een foto van mij naast zijn grafsteen. Andere boeken over Berend: *Een valk voor Berend, Berend en de aanslag op de hertog* en *Berend en de toverkruiden.*

Wil je meer over mij weten? Lees dan mijn eigen site: www.martineletterie.nl.

De kastelen uit de verhalen van Berend kun je ook zien. huis Bergh kun je bezoeken en je kunt er zelfs je verjaarspartijtje vieren. Jongens krijgen er een opleiding tot ridder en meisjes tot hofdame.

Tot slot kan ik je aanraden om eens de kinderfietsroute *In de sporen van Berend* te fietsen. Je fietst langs de kastelen van Berends ouders en je maakt kennis met het leven van een kind in de middeleeuwen. Onderweg kun je je verkleden en er zijn allerlei leuke opdrachten te doen. Bij vvv Vorden krijg je meer informatie: 0575-553222.

Sinds kort is er een tweede kinderfietsroute: *Berend en*

de jacht op het Onkruyt. Die start bij het Landal Stroom-
broek in Braamt. Bij vvv Montferland (0314-632823) krijg
je meer informatie.

Veel plezier!

Martine Letterie

Wil je meer weten over Berend? Lees dan ook:

Een valk voor Berend

Berend en zijn zusje Mechteld wonen op kasteel Vorden. Hun vader is heer van Vorden en Hackfort, en hun grote broer Hendrik is dit jaar voor het eerst schildknaap. Om dat te vieren organiseert de heer van Hackfort een toernooi voor alle ridders uit de buurt.

De dag erna is er een jacht met valken.

Berend wil graag een eigen valk. Zijn vader vindt hem daar nog te klein voor.

Maar als de roofridders van de Wildenborch toeslaan, laat Berend zien dat kleine jongens ook heel groot kunnen zijn!

Berend en de aanslag op de hertog

Het is al een paar jaar oorlog en Berend vindt er niets meer aan. Zijn vader moet de hele tijd vechten. Maar nu lijkt er eindelijk vrede te komen. De nieuwe hertog zal in Arnhem worden ingehuldigd, en Berend en zijn zusje Mechteld mogen erbij zijn. Dagenlang zullen er feesten zijn. Bals, jachtpartijen en een toernooi.

Vlak voor dat toernooi ontdekt Berend dat er ook ridders zijn die geen vrede willen. Ze hebben gemene plannen met de nieuwe hertog: er wordt een aanslag beraamd!

Kan een jongen van acht die aanslag voorkomen, als hij alleen maar de hulp van zijn zusje heeft...?

Berend en de toverkruiden

Het zijn roerige tijden in Gelre. Be- rend wordt page op kasteel Bergh bij graaf Oswald, en op zijn reis ernaartoe loopt hij al gevaar. Zal zijn nieuwe heer iets kunnen doen tegen het Onkruyt van Wisch, de broer van de roofridder, die de omgeving onveilig maakt?

De dochter van graaf Oswald, Walburga, is net zo oud als Berend. Zij denkt dat vrouwen op een kasteel het belangrijkst zijn. Een meisje leert ook voor haar toekomst, net als een page. Berend is het daar niet mee eens. De ridders maken de dienst uit en de vrouwen borduren alleen maar. Wie heeft er gelijk?